DIM ONE

Anne Fine

DIM OND SIOE

Darluniau gan Strawberrie Donnelly
Trosiad gan Elin Meek

DREF WEN

Cyhoeddwyd gyntaf yn Saesneg yn 1990 gan Hamish Hamilton
Cyhoeddwyd gyntaf gan Penguin Books Cyf 1991
gan Penguin Books Cyf. 80 Strand, Llundain WC2R 0RL
Cyhoeddwyd y gyfrol hon 1998
dan y teitl *Only a Show.*

Y cyhoeddiad Cymraeg ©2009 Dref Wen Cyf.

Cyhoeddwyd yn Gymraeg 2009
gan Wasg y Dref Wen,
28 Ffordd yr Eglwys, Yr Eglwys Newydd,
Caerdydd CF14 2EA, Ffôn 029 20617860.

Noddwyd gan Lywodraeth Cynulliad Cymru.

Argraffwyd yn Singapore.

··· Pennod Un ···

Meddai Miss Hughes, 'Ddydd Llun, dw i eisiau i bawb yn y dosbarth roi sioe fach.'

'Pawb?'

'Rhoi sioe fach?'

'Pa fath o sioe?'

'Unrhyw fath o sioe,' meddai Miss Hughes. 'Dw i'n siŵr fod pob copa walltog yn yr ystafell yn gallu gwneud

1

rhywbeth. Fe allech chi ganu cân, neu ddawnsio, neu ganu offeryn. Neu fe allech chi roi sgwrs fach am eich anifail anwes, neu am rywbeth wnaethoch chi yn ystod y gwyliau.'

Cododd Miss Hughes y sialc.

'Dw i'n mynd i ysgrifennu enw pawb ar y bwrdd du,' meddai. 'Pan fyddwch chi wedi rhoi eich sioe fach, fe fydda i'n rhwbio'ch enw oddi ar y bwrdd.'

Gwyliodd Anna wrth i ddarn sialc Miss Hughes ysgrifennu enwau pawb yn wichlyd ar y bwrdd du: Dylan, Asha, Lowri, Medi, William, Rohan, Anna!

Dyna lle roedd ei henw hi. Mewn du a gwyn. Doedd dim gobaith gallu osgoi gwneud y sioe, oni bai ei bod hi'n cropian 'nôl i'r ystafell ddosbarth ar ôl yr ysgol, a rhwbio'i henw allan ei hun.

Dylan
Asha
Lowri

3

Ond byddai hynny'n gadael bwlch yn yr enwau, achos roedd Miss Hughes yn dal i ysgrifennu: Nicola, Mari, Siwan, Aron …

Cymaint ohonyn nhw! Beth fyddai pawb yn ei wneud? Nid plant syrcas oedden nhw. Doedden nhw ddim mewn ysgol actio. Plant cyffredin oedden nhw. Pa fath o sioe allen nhw ei rhoi? Beth allen nhw ei wneud?

Dilynodd Anna bawb allan o'r ystafell ddosbarth. Roedden nhw i gyd yn sgwrsio'n gyffrous. Roedd pawb fel petaen nhw'n llawn syniadau.

'Dw i'n mynd i fenthyg pedwar ci gwarchod ffyrnig fy ewythr, a dangos i bawb sut maen nhw'n ymosod ar bobl ddieithr.'

'Paid â bod mor ddwl, Dylan. Fyddai e
ddim yn fodlon eu benthyg nhw i ti. A
fyddai Miss Hughes ddim yn gadael i ti
ddod â nhw i'r ysgol.'

'Dw i'n mynd i ddangos i bawb sut dw
i'n gallu plymio.'

'Paid â bod mor ddwl, Lowri. Does dim pwll nofio gyda ni.'

'Dw i'n mynd i ddangos i bawb sut mae fy mam yn gwneud ffrogiau priodas hyfryd ar gyfer y siop ddillad ar y gornel.'

'Paid â bod mor ddwl, Asha. Pum

munud, ddwedodd hi. Mae ffrog briodas yn cymryd *oriau* i'w gwneud.'

Roedden nhw'n dal i siarad am y peth yr holl ffordd i'r iard.

Cerddodd Anna'n araf y tu ôl iddyn
nhw gan ddal i wrando.

'Dw i'n mynd i ddangos sut mae
gwneud potyn o glai, ei danio a'i beintio
a'i wydro.'

'Paid â bod mor ddwl, William. Mae
potiau clai'n cymryd wythnosau i'w
gorffen.'

'Dw i'n mynd i ddysgu dawns werin i
bawb.'

'Paid â bod mor ddwl, Mari. Fe

fyddai'n rhaid i ni symud y byrddau i gyd allan o'r ystafell ddosbarth.'

'Dw i'n mynd i ofyn i tad-cu ddangos i mi sut mae swyno neidr.'

'Paid â bod mor ddwl, Rohan. Does dim neidr gyda ti. Does dim pib hud gyda ti, hyd yn oed.

A dydyn ni ddim yn India, felly mae'n debyg na fyddai'r tric yn gweithio.'

Roedden nhw'n dal i siarad am y sioeau wrth giatiau'r ysgol.

'Beth wyt ti'n mynd i'w wneud?'

'Dw i ddim am ddweud.'

'Plîs, dwed, plîs.'

'Na.'

10

''Na gas wyt ti!'

'Na.'

Ac roedd Anna druan yn dal i wrando.

Dyna sut roedd hi'n teimlo – *Anna druan*. Y rhan fwyaf o'r amser roedd hi'n rhan o'r criw. Doedd neb yn sylwi arni. Doedd hi ddim yn dal ac yn hyderus, fel Medi. Doedd hi ddim yn glyfar ac yn ddoniol, fel Siwan. Doedd hi ddim yn gwisgo dillad newydd hyfryd, fel Mari. Doedd hi ddim yn gallu gwneud gymnasteg, fel Lowri. Ond roedd hi'n mynd o gwmpas gyda nhw. Doedd dim ffrind gorau go iawn ganddi. Ond, ar y llaw arall, doedd dim gelynion ganddi chwaith. Doedd dim gwahaniaeth ganddi fynd i'r ysgol yn y bore. Ond roedd hi wir yn falch pan fyddai'r gloch yn canu ar ddiwedd y dydd, a hithau'n cael mynd adref.

Doedd dim byd arbennig am Anna o gwbl, a doedd hi ddim yn gallu gwneud dim byd arbennig.

Felly beth ar y ddaear roedd hi'n mynd i'w wneud i gael tynnu'i henw'n ddiogel oddi ar y bwrdd du? Beth allai hi ei wneud ar gyfer ei sioe?

Dim byd. Dim byd o gwbl.

··· Pennod Dau ···

Cerddodd Anna adref mewn breuddwyd. Dim ond un penwythnos – dim ond dau ddiwrnod cyfan – oedd ganddi i feddwl am sioe dda.

Roedd hi'n anobeithio. A doedd ei mam ddim llawer o help. Bob tro roedd ei mam yn meddwl am rywbeth roedd hi'n gallu'i wneud, roedd Anna'n siŵr nad oedd hi'n gallu.

'Beth am ganu cân?' awgrymodd Mam.

'Dw i ddim yn gallu canu.'

'Beth am lefaru cerdd?'

'Fe fyddwn i mor nerfus, fe fyddwn i'n cymysgu'r geiriau i gyd.'

Ceisiodd ei brawd bach helpu hefyd.

'Beth am ddweud jôc?'

14

'Fyddai neb yn chwerthin am ben y jôc. Ar fy mhen *i* y bydden nhw'n chwerthin.'

'Cer â Bwni, 'te. Gwna sioe bypedau.'

Roedd Owain yn dwlu ar sioeau pypedau. Roedd e bob amser wedi dwlu arnyn nhw, er pan oedd e'n fabi bach. Bob nos, roedd e'n gofyn i Anna roi Bwni, ei byped cwningen, am ei llaw a rhoi sioe breifat iddo dros ymyl eu gwelyau bync.

'Noswaith dda,' byddai Anna'n dweud yn llais bach rhyfedd Bwni.

'Noswaith dda!' byddai Owain yn ateb yn frwd.

Ac wedyn, tra byddai Owain yn chwerthin, byddai Anna'n gwneud i Bwni ganu cân fach, neu ddweud jôc, neu wneud tric. A beth bynnag roedd hi'n wneud, roedd Owain yn dwlu arno. Felly efallai bod ei brawd yn iawn. Efallai y

15

gallai hi wneud rhywbeth wedi'r cyfan.

Llithrodd Anna oddi ar ei chadair a mynd i'r ystafell wely. Daeth o hyd i Bwni druan yn hongian dros far uchaf y gwelyau bync. Doedd e ddim yn edrych yn daclus a doedd e ddim yn edrych yn gyffordus. Dyma Anna'n ei godi ac yn llithro'i gorff blewog dros ei llaw. Roedd ei glustiau hir yn hongian yn llipa.

'Helô, Bwni,' meddai hi wrtho, a dyma fe'n symud ei glustiau i'w chyfarch.

'Helô, Anna,' meddai Bwni yn ei lais cwningen rhyfedd. 'Wyt ti eisiau clywed jôc dda?'

'Ydw, plîs,' meddai Anna.

'Sut mae dal cwningen?' meddai Bwni.

Symudodd Anna ei phen o'r naill ochr i'r llall gan edrych fel petai wedi drysu.

'Dwn i ddim, Bwni,' meddai hi. 'Sut mae dal cwningen?'

'Gorwedd yn yr ardd a gwneud sŵn fel letys!' meddai Bwni. Dyma fe'n chwerthin cymaint nes bod ei glustiau'n fflapian o gwmpas ei ben a thros ei lygaid i gyd.

'Da iawn, wir,'
meddai Owain. Roedd
e'n gwylio o'r drws. 'Fe fydd pawb yn
hoffi'r sioe 'na.'

Ond doedd Anna ddim yn siŵr o gwbl.

'Na fyddan ddim,' meddai'n ddiflas.
'Fe fyddan nhw'n meddwl ei fod e'n dwp
achos maen nhw'n gallu gweld fy
ngwefusau'n symud. Alla i ddim gwneud

19

i Bwni siarad heb symud fy ngwefusau. Dw i ddim yn gallu taflu fy llais!'

Roedd hi'n swnio mor bryderus ac mor flin a chrac fel y ceisiodd Owain ei chysuro.

'Fydd dim gwahaniaeth os yw dy wefusau di'n symud,' meddai. 'Mae pawb yn gwybod mai dim ond pyped yw Bwni.'

'Ti'n iawn!' meddai Anna'n swta. 'A dyna pam y bydd hi'n sioe mor wael!'

Tynnodd Bwni oddi ar ei llaw, a'i daflu'n wyllt ar draws yr ystafell. Yn y diwedd, glaniodd ben i waered yn ei bag ysgol. Roedd e'n edrych hyd yn oed yn fwy anniben ac anghyfforddus nag oedd e pan oedd e'n hongian ar far uchaf y bync. Ond doedd dim gwahaniaeth gan Anna.

'Fe feddylia i am rywbeth arall,'
meddai'n uchel. 'Mae dau ddiwrnod
cyfan gyda fi. Dw i'n siŵr o feddwl am
rywbeth.'

Ond aeth un diwrnod cyfan heibio, a
feddyliodd Anna druan ddim am unrhyw
beth o gwbl. Wel, dyw hynny ddim yn
hollol wir. Meddyliodd hi am ddwsinau o
bethau. Meddyliodd am adrodd rhigwm am
yn ôl, neu sefyll ar ei phen, neu ddangos i
bawb sut i dyfu hadau mwstard a

chres ar wlân cotwm gwlyb. Ond efallai na fydden nhw'n adnabod y rhigwm o gwbl, hyd yn oed petai hi'n ei adrodd yn gywir. Ac allai hi ddim dioddef meddwl am sefyll ar ei phen o flaen pawb a chwympo drosodd wedyn. A doedd dim amser i dyfu hadau mwstard a chres.

Erbyn i Mam-gu ddod draw ddydd Sul, roedd Anna wedi cyrraedd pen ei thennyn. Ac yna'n sydyn, dyma hi'n cael syniad.

'Mam-gu, wnei di ddangos i mi sut i wau sgarff?'

Roedd y gaeaf yn dod. Bydden nhw i gyd eisiau gwybod sut i wau sgarff wlân.

Roedd Mam-gu wrth ei bodd.

'Wrth gwrs, cariad. Cer i nôl y gweill. A'r gwlân.'

Gweill? Gwlân? Pam, o pam nad oedd hi wedi meddwl am hyn ddoe, pan oedd y siopau i gyd ar agor?

Dechreuodd Anna feichio crio.

··· Pennod Tri ···

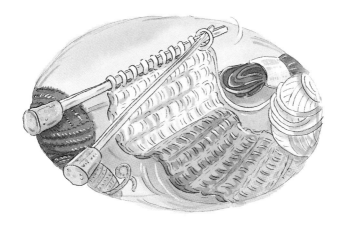

Gwnaeth Mam-gu a Mam eu gorau glas. Roedden nhw wastad yn gwneud hynny. Anfonodd Mam-gu Owain i lawr i'r siop bwyd Tsieineaidd i fenthyg pâr o ffyn bwyta. Yna anfonodd Mam Owain drws nesaf i ofyn i'w cymydog am gorcyn o hen botel o win. Torron nhw'r corcyn yn ei hanner a throi darn ar bob pen i'r ddwy ffon fwyta blastig.

Yna anfonodd Mam-gu bawb i chwilio am wlân.

Ddaethon nhw ddim o hyd i lawer. Ac roedd y cyfan yn ddarnau bach iawn ac yn lliwiau gwahanol i gyd. Doedd hi ddim yn bosib gwau sgarff gyda nhw.

'Fe wnawn ni sgarff i ddoli, 'te,' meddai Mam-gu.

Roedd Anna'n rhy ddiflas i ddadlau. Roedd hi'n gwybod mai gwastraff amser oedd y cyfan. Mae'n debyg nad oedd neb yn y dosbarth yn dal i chwarae â doliau, ac, os oedden nhw, mae'n debyg na fydden nhw'n cyfaddef hynny o flaen pawb arall. Allai hi ddim rhoi sioe iddyn nhw i'w dysgu sut i wau sgarff i ddoli.

Ond doedd dim pwynt gwneud i Mam-gu deimlo'n ddiflas.

Felly eisteddodd Anna ar stôl yn ymyl

cadair Mam-gu, a dysgu sut i roi'r gwlân y ffordd gywir am y ffyn bwyta plastig, a gwneud y pwythau, a gwau rhes. Pan fyddai'r lliw roedd hi'n ei ddefnyddio'n dod i ben, byddai Mam-gu'n clymu lliw arall, a bydden nhw'n dal ati. Roedd hi'n sgarff hynod o lachar a lliwgar – ac yn gul iawn, iawn.

Dim ond deg pwyth o led.

Yn iawn i ddoli. Yn dda i ddim ar gyfer sioe.

Ac yn syth ar ôl i Mam-gu fynd, dyma Anna druan yn stwffio'r sgarff fach ddwl i ddoli o'r ffordd, allan o'r golwg, ar waelod ei bag ysgol, fel na fyddai'n rhaid iddi edrych arni hyd yn oed wrth iddi baratoi i fynd i'r gwely.

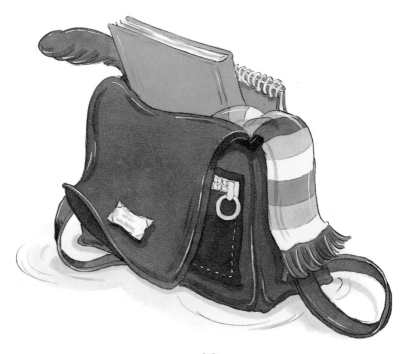

Hon oedd noson waethaf bywyd Anna. Buodd hi'n crio cymaint nes bod darn gwlyb ar ei chlustog, ac ar ei gŵn nos, ac ar ŵn nos Mam pan ddaeth hi i mewn i roi cwtsh iddi. Buodd hi'n crio cymaint fel nad oedd Owain yn gallu cysgu, ac roedd yn rhaid ei gario, wedi'i lapio yn ei gwilt, i'r ystafell arall, ar y soffa. Buodd hi'n crio cymaint nes bod gan ei mam ddim hancesi papur ar ôl.

Na dim amynedd chwaith.

'Er mwyn popeth!' meddai hi wrth Anna. 'Dim ond sioe yw hi!'

'Dim ond sioe!' udodd Anna. 'Dim ond sioe!' Roedd ei llygaid yn goch i gyd a'i gwallt wedi'i ludio wrth ei bochau â dagrau hallt wedi sychu.

'Ie,' meddai ei mam. 'Dim ond sioe. Ac fe feddyli di am rywbeth. Rwyt ti mor

fywiog â phawb arall, ac yn gwneud cymaint o bethau diddorol â nhw.'

Oedd hi? Oedd hi wir? Meddyliodd Anna am hyn wrth iddi orwedd yn dawel ym mreichiau ei mam, a'r crio mawr ar ben. Doedd hi ddim yn meddwl y gallai wneud unrhyw beth o werth. Ond roedd Mam yn meddwl ei bod hi'n arbennig. A Mam-gu hefyd.

Ac roedd Owain yn meddwl bod ei sioeau bypedau'n wych. Doedd dim rhaid iddi wneud dim ond rhoi Bwni am ei llaw … a siarad â'i llais cwningen doniol … a dweud jôc …

Allai hi ddim meddwl rhagor. Roedd hi wedi cysgu o'r diwedd.

*

Ond erbyn i'r bore ddod, roedd hwyliau hollol wahanol ar Anna.

'Wyt ti eisiau aros gartref?' gofynnodd ei mam.

'Nac ydw,' meddai Anna. 'Er mwyn popeth. Dim ond sioe yw hi.'

Syllodd Owain ar ei chwaer yn chwilfrydig. Roedd hi'n edrych braidd yn welw ac roedd ei llygaid yn dal wedi chwyddo ar ôl yr holl grio. Ond roedd hi'n edrych yn ddigon cysurus.

'Beth wyt ti'n mynd i'w wneud?' gofynnodd.

'Dw i ddim yn gwybod,' meddai Anna. 'A does dim ots gyda fi.'

'Eitha reit,' cytunodd Owain. 'Dim ond sioe yw hi.'

··· Pennod Pedwar ···

Dechreuon nhw'n syth ar ôl cofrestru.
Roedd pawb i'w gweld mor
awyddus. Pan ofynnodd Miss Hughes,
'Pwy sydd eisiau mynd gyntaf?' cododd
hanner y dosbarth eu dwylo i'r awyr.
Efallai eu bod nhw wir eisiau
perfformio'u sioeau bach. Efallai eu bod
nhw eisiau i'r holl beth dychrynllyd a
nerfus ddod i ben, a gweld eu henwau
wedi'u rhwbio'n saff oddi ar y bwrdd du.

Doedd Anna ddim yn siŵr. Ond
edrychai'n sicr y gallai hi gael ei gadael
ar ôl, petai hi eisiau, tan y diwedd un.

Wedyn, pan oedd pawb arall wedi
gorffen, gallai hi godi ar ei thraed a rhoi
sgwrs am bum munud am y pethau roedd
hi wedi'u gwneud yn ystod y gwyliau.
Diflas iawn. Doedd hi ddim wedi gwneud
llawer. Dim ond dysgu Owain sut i reidio

beic dwy olwyn, a gwylio Mam yn
peintio'i hystafell wely'n las, ac roedd hi
wedi mynd i aros at Dad am rai dyddiau.
Ond dim byd cyffrous. Byddai pawb yn
teimlo'n ddiflas iawn wrth wrando arni.
Ond dim ond am bum munud y byddai'n
para. Ac wedyn byddai'r cyfan ar ben.

Ac, er mwyn popeth, dim ond sioe oedd hi.

Roedd pawb arall yn wych. Asha aeth gyntaf. Doedd hi ddim yn gallu dangos iddyn nhw sut roedd ei mam yn gwneud ffrogiau priodas ar gyfer y siop ddillad ar y gornel. Doedd dim amser. Felly dyma hi'n dangos sut i wneud ffrog o fagiau plastig du yn lle hynny. Dangosodd hi sut i dorri'r bagiau, ble i'w styffylu nhw at ei gilydd, neu ble i roi'r tâp gludiog. A chyn hir roedd hi'n sefyll o'u blaenau nhw mewn ffrog ddu lachar a smart, ac roedden nhw i gyd yn curo dwylo.

'Gwych!' 'Ardderchog!' 'Da iawn,
Asha!'

Gwenodd Miss Hughes, a rhwbio enw
Asha oddi ar y bwrdd du.

'Pwy sydd nesa?'

Rhedodd Lowri allan i'r blaen.
Tynnodd ei jîns a'i siwmper i ffwrdd, ac
oddi tanyn nhw roedd hi'n gwisgo leotard
porffor gyda sêr yn disgleirio arni.

37

'Ro'n i eisiau dangos i chi sut dw i'n gallu plymio,' meddai hi. 'Ond does dim pwll gyda ni. Felly dw i'n mynd i ddangos deg safle ioga i chi, olwyn dro a fflip am 'nôl.

Ac wedyn dw i'n mynd i orffen drwy sefyll ar fy mhen. Dyna pryd rydych chi'n curo'ch dwylo.'

Ac, yn wir, pan oedd hi wedi dangos y deg safle ioga, yr olwyn dro a'r fflip am 'nôl, a sefyll

ar ei phen gyda bysedd ei
thraed yn pwyntio'n
daclus at y nenfwd,
dyna pryd y curodd pob
un ei ddwylo.

    'Gwych!'

    'Anhygoel!'

    'Rhyfeddol, Lowri!'

    Rhwbiodd Miss Hughes ei henw
oddi ar y bwrdd du.

    'Pwy sy nesa?'

Roedd William eisiau mynd nesaf. Doedd dim amser gyda fe i ddangos iddyn nhw sut i wneud potyn clai, ei danio a'i beintio a'i wydro. Felly dangosodd sut i wneud cerfluniau o datws.

'Cymerwch hen daten,' meddai William wrthyn nhw. 'Torrwch y gwaelod fel ei bod hi'n sefyll yn syth ar y bwrdd. Yna cerfiwch wyneb arni.'

Dyma nhw'n gwylio, wedi rhyfeddu, wrth iddo dorri llygaid allan, a chlustiau, a thrwyn a cheg, a cherfio dant bach wedi torri hyd yn oed. Pan oedd wedi gorffen, tynnodd un roedd e wedi'i wneud wythnosau o'r blaen allan o'i boced.

'Edrychwch,' meddai William. 'Mae'r daten hon wedi bod yn sychu allan yn ymyl ein tanc dŵr poeth ni ers mis cyfan, felly mae hi'n barod.'

Roedd hi'n edrych yn ofnadwy, fel hen ben wedi crebachu i gyd. Gwaeddodd pawb hwrê a churo'u traed.

'Gwych!' 'Ardderchog!' 'Da iawn ti, William!'

Aeth William i rwbio'i enw'n falch oddi ar y bwrdd du.

Fesul un, gwnaeth pawb ei sioe.

Doedd gan Mari ddim lle i ddysgu dawns werin iddyn nhw, felly yn lle hynny, dyma hi'n dangos iddyn nhw sut i ymgrymu'n berffaith, rhag ofn y bydden nhw'n cwrdd â Phrif Weinidog Cymru. Doedd Rohan ddim wedi dod o hyd i neidr neu bib hudol, felly yn lle hudo neidr, dangosodd driciau cardiau iddyn nhw. Dywedodd Aron wedyn ei fod yn gallu gweld cardiau ychwanegol i fyny llawes

Rohan drwy'r amser, ond chlywodd neb achos yr holl guro dwylo a gweiddi.

'Arbennig!' 'Rhyfeddol!' 'Dyna glyfar wyt ti, Rohan!'

Rhwbiodd Miss Hughes eu henwau oddi ar y bwrdd.

Rhoddodd Medi sgwrs fer am ei gwisg Gymreig. Rhoddodd Dylan sgwrs fach am ei gath a'i bysgodyn aur. Dywedodd Siwan dair jôc ac anghofiodd ddiwedd y bedwaredd un, ond doedd dim ots. Curodd pawb eu dwylo beth bynnag.

Canodd Steffan gân werin roedd ei dad-cu wedi'i dysgu iddo.

Dangosodd Nicola iddyn nhw sut i blethu gwallt hir. Adroddodd Aron benillion yn Ffrangeg.

Rhwbiodd Miss Hughes eu henwau oddi ar y bwrdd.

A nawr dim ond enw Anna oedd ar ôl.

··· Pennod Pump ···

Roedd Anna wedi dweud wrth i'i hun gant o weithiau nad oedd hyn yn bwysig – mai dim ond sioe oedd hi – ond roedd hi'n teimlo'n nerfus serch hynny. Mor nerfus fel iddi daro'i bag ysgol â'i phenelin wrth godi ar ei thraed, a'i fwrw oddi ar y bwrdd i'r llawr. Cwympodd popeth oedd ynddo allan, gan gynnwys Bwni'r gwningen a'r sgarff hir liwgar.

Rhedodd Dylan at Bwni, a'i godi. 'O da iawn! Cwningen byped! Mae Anna'n mynd i wneud sioe bypedau! Dw i'n dwlu ar bypedau.'

Gwaeddodd pawb hwrê cyn iddi ddechrau.

Cydiodd Siwan yn y sgarff liwgar. 'Edrychwch! Mae ei sgarff ei hun gan gwningen Anna!'

Gwaeddodd pawb hwrê unwaith eto.

'Dere 'mlaen, Anna! Brysia. Gad i ni weld y sioe!'

Beth allai Anna druan ei wneud? Os oedden nhw i gyd yn eistedd yno'n disgwyl sioe bypedau, allai hi ddim rhoi sgwrs ddiflas iddyn nhw am ddysgu Owain sut i reidio beic dwy olwyn, ac am wylio Mam yn peintio'i hystafell wely.

Allai hi?

Na allai.

Cerddodd Anna i flaen y dosbarth.
Edrychodd yn ofnus ar y môr o wynebau
hapus o'i blaen.

'Bore da, bawb,' meddai, yn dawel a
nerfus iawn.

'Bore da!' atebodd pawb gyda'i gilydd,
yn uchel a brwdfrydig,
yn union
fel roedd Owain yn
arfer dweud 'Noswaith
dda!' pan oedd hi'n
gwneud un o'i sioeau
amser gwely. Felly
roedd hi bron yn
hawdd i Anna
ddweud y geiriau
nesaf ychydig yn
uwch.

'Hoffwn i eich cyflwyno chi i'm cwningen, Mr Bwni.'

'Bore da, Mr Bwni,' meddai pawb gyda'i gilydd. Roedd gwefusau Anna'n symud, ond dim ond ychydig. A doedd neb yn sylwi, beth bynnag, dim mwy nag oedden nhw wedi sylwi ar y styffylau yn ffrog ddu sgleiniog Beca, neu fel roedd Lowri wedi siglo weithiau wrth wneud ioga.

Ac roedd hi'n gwneud llais cwningen arbennig o dda. Roedd Owain yn dweud hynny bob amser.

'Efallai,' meddai Anna, 'nad yw Bwni'n edrych yn llawer o beth. Mae e'n hen ac wedi treulio braidd, ond mae'n gallu gwneud hud a lledrith rhyfeddol. Ac rydyn ni'n mynd i ddangos hyn i chi'r bore 'ma.'

(Fe fu bron iddi ddweud 'heno' oherwydd Owain; ond llwyddodd i gofio mewn pryd.)

Estynnodd y sgarff tuag at y rhes flaen.

'Ga i wirfoddolwr i roi'r sgarff dros lygaid y gwningen, os gwelwch yn dda?'

Rhuthrodd Medi ymlaen. Gwyliodd Anna hi'n clymu'r sgarff yn daclus dros lygaid Bwni, gan wneud cwlwm y tu ôl i fysedd Anna. Llwyddodd Anna i wenu arni, hyd yn oed, ar ôl iddi orffen. Yna:

'Dydy'r gwningen hon ddim yn gallu gweld dim byd nawr,' meddai Anna'n hyderus.

Daliodd dri bys ei llaw arall o flaen Bwni.

'Bwni. Sawl bys dw i'n ei ddal i fyny?'

'Does gen i ddim syniad,' meddai Bwni. 'Achos mae'r sgarff dros fy llygaid. Dw i ddim yn gallu gweld unrhyw beth. Mae popeth wedi mynd yn dywyll.'

Trodd Anna at y gynulleidfa. Er syndod iddi, roedden nhw'n chwerthin, yn union fel roedd Owain yn ei wneud.

'Dydy e ddim yn gallu gweld unrhyw beth,' aeth hi yn ei blaen. 'Ond fe fydd e'n dangos sut mae'n gallu gwneud hud a lledrith. Gaf i wirfoddolwr arall i roi rhywbeth – unrhyw beth o gwbl – ar y bwrdd o flaen Bwni? Fe fydd ei glustiau hir, profiadol, yn gallu teimlo'r dirgryniadau hud. Ac fe fydd e'n dweud wrthoch chi beth yw'r peth.'

'Amhosibl!' gwaeddodd rhywun o'r
cefn. 'Chreda i ddim tan i mi weld
hynny'n digwydd!'

Rhoddodd Siwan yr oren oedd ganddi
i ginio ar y bwrdd o flaen Bwni.

'Bwni,' gorchmynnodd Anna.

'Defnyddia dy allu i wneud hud a lledrith.'

Trodd Bwni ei ben o'r naill ochr i'r llall. Fflapiodd ei glustiau i fyny ac i lawr. Ffroenodd yr awyr.

'Oren yw e,' cyhoeddodd Bwni.

Curodd pawb eu dwylo a gweiddi hwrê'n wyllt. Gwenodd Anna.

'Unwaith eto!' 'Efallai ei fod e wedi pipo!' 'Gwnewch yn siŵr fod y sgarff yn ddigon tyn!'

Edrychai Anna'n ddifrifol. Gofynnodd

54

i Aron ddod allan i weld a oedd y sgarff
yn ddigon tyn. Ac yna gwyliodd hi wrth
iddo dynnu'i gylch allweddi â sgerbwd
plastig arno allan o'i boced a'i roi ar y
ddesg o flaen Bwni.

'Rho gynnig ar hwnna,' rhoddodd Aron
her i Bwni.

Fflapiodd Bwni ei glustiau i fyny ac i
lawr.

Ffroenodd yr awyr. Trodd ei ben o'r naill ochr i'r llall.

'Cylch allweddi â sgerbwd plastig arno yw e!' cyhoeddodd.

'Rhyfeddol!' 'Anhygoel!' 'Hud a lledrith!'

Ond gwaeddodd rhywun yn y cefn yn uchel, 'Mae'n rhaid ei fod e'n twyllo rywsut. Rhowch rywbeth arall ar y bwrdd!'

Wrth i bawb weiddi hwrê, llithrodd Rhodri ddarn pum ceiniog ar y bwrdd.

Ffroenodd Bwni'r awyr. Trodd ei ben o'r naill ochr i'r llall. Fflapiodd ei glustiau.

'Darn pum ceiniog yw e,' cyhoeddodd o'r diwedd.

'Gwych!' 'Rhyfeddol!' 'Sut mae'n ei wneud e?'

'Gwnewch e unwaith eto!'

Roedd Anna'n berffaith barod i'w
wneud e eto. A dweud y gwir, roedd hi'n
hollol hapus. Petai hi'n cael dewis,
byddai wedi cadw i fynd am byth.
Roedden nhw'n well cynulleidfa nag
Owain hyd yn oed. Ond, yn anffodus,
roedd ei phum munud wedi dod i ben,

a chamodd Miss Hughes ymlaen i rwbio enw Anna oddi ar y bwrdd. Roedd Anna'n teimlo'n siomedig iawn wrth weld ei henw'n diflannu.

'Dyna ni!' meddai Miss Hughes. 'Mae'r sioe ar ben. Dydyn ni ddim eisiau blino'r gwningen druan.'

Tynnodd Anna'r sgarff oddi am ben Bwni, a gwneud iddo ymgrymu. Bu rhagor o guro dwylo a gweiddi.

'Rhyfeddol!'

'Gwych!'

'Arbennig!'

Ymgrymodd hithau hefyd, sawl gwaith, gan wenu o glust i glust – tan i Miss Hughes gydio'n dyner yn ei braich, a'i harwain yn ôl i'w chadair wrth y bwrdd.

Dim ond sioe, yn wir! Roedd hi'n sioe ryfeddol!